회복하는 인간

아시아에서는 《바이링궐 에디션 한국 대표 소설》을 기획하여 한국의 우수한 문학을 주제별로 엄선해 국내외 독자들에게 소개합니다. 이 기획은 국내외 우수한 번역가들이 참여하여 원작의 품격을 최대한 살렸습니다. 문학을 통해 아시아의 정체성과 가치를 살피는 데 주력해 온 아시아는 한국인의 삶을 넓고 깊게 이해하는 데 이 기획이 기여하기를 기대합니다.

ASIA Publishers presents some of the very best modern Korean literature to readers worldwide through its new Korean literature series 〈Bilingual Edition Modern Korean Literature〉. We are proud and happy to offer it in the most authoritative translation by renowned translators of Korean literature. We hope that this series helps to build solid bridges between citizens of the world and Koreans through a rich in-depth understanding of Korea.

바이링궐 에디션 한국 대표 소설 024
Bi-lingual Edition Modern Korean Literature 024

Convalescence

한강
회복하는 인간

Han Kang

ASIA
PUBLISHERS

Contents

회복하는 인간

Convalescence

당신은 직경 일 센티미터 남짓한 구멍들을 보고 있다.

당신의 부어오른 양쪽 복숭아뼈 아래, 정강이에서부터 내려온 인대가 발등으로 막 꺾여지는 자리에 그 구멍들은 뚫려 있다. 왼쪽의 구멍 안으로 보이는 회백색 물질을 가리키며 의사가 말한다.

왜 화상을 입자마자 바로 처치를 안 한 거죠? 오른쪽은 괜찮은데, 여기 왼쪽 피부 조직은 좀 심각합니다.

삼십대 후반의 의사는 고등학생처럼 머리를 바싹 치켜 깎았다. 흰색 진료 가운은 토요일 오후라선지 풀기 없이 늘어져 있다.

마취하고 도려내는 수술을 해야겠지만, 그 전에 조금

You are looking at holes one centimeter in diameter.

These holes are just below your swollen ankles, where ligaments coming down from your shins make a sharp turn toward the top of your feet. Pointing to the light gray substance inside the hole on the left, the doctor asks, "Why didn't you treat this immediately after you were burned? The right one is ok, but this tissue on the left is in a pretty serious condition."

The doctor, in his late thirties, has hair cropped very short like a high school student's. His white gown is unstarched and drooping, perhaps because

두고 보는 게 좋겠습니다. 늦었지만 지금이라도 환경을 잘 만들어 주면 조직이 회복될 가능성도 있으니까요.

수술이라는 말에 약간 겁을 먹고 당신은 묻는다.

그럼, 수술을 해야 할지 말지를 언제 알 수 있나요?

앞으로 삼 일 동안……

의사는 달력에 눈길을 준다.

항생제 드시고 레이저 치료 받으면서 지켜보기로 하지요.

의사의 군청색 만년필이 차트 위를 어지럽게 달리는 것을 당신은 물끄러미 바라본다. 당신에 대한 의사의 태도는 담담하고 차갑다. 도대체, 닷새 전에 화상을 입고도 아무런 조치도 취하지 않다가 세균 감염이 되어 찾아온 환자를 이해하지 못하는 눈치다.

드레싱을 한 부위들이 그대로 노출된 채 당신은 절름절름 진료실을 나온다. 바지를 무릎까지 접어 올리고, 노트북컴퓨터가 담긴 가방을 어깨에 메고, 한 손에는 우산을 들고, 엉거주춤 구두 두 짝을 발끝에만 걸친 당신을 수납게의 간호사가 호명한다. 상처에 구두가 닿지 않도록 주의하며 당신은 창구로 걸어간다. 레이저 치료비와 습윤 테이프의 비용은 보험이 적용되지 않는다는 설명을 듣는

today is Saturday.

"We might have to anesthetize and operate, but for now we'll just keep an eye on it before we get to that point. Although it's late, there's still a chance the tissue will grow back if we take good care of it."

Scared by the word "operate," you ask, "When can we know whether it has to be operated on or not?"

"Three days..."

The doctor looks at the calendar.

"Take antibiotics and get laser treatments for now. Let's wait and see."

You stare at the doctor's indigo-colored fountain pen, scribbling wildly on your chart. The doctor is calm and cold. It seems that he can't understand a patient who got burned five days ago and did nothing about it until the injury was infected.

You hobble out of the examination room with the dressed areas exposed. With your pant legs rolled up to your knees, you have a laptop bag on your shoulder, an umbrella in your hand, and your shoes only half on. A nurse at the reception desk calls you. Making sure that your shoes don't touch your wounds, you walk carefully toward the reception desk. You hear the nurse explain that the laser treatments and wet tapes aren't covered by your

다. 계산을 마치고 처방전을 받아 든 뒤, 계속해서 구두 두 짝을 발끝으로만 끌고 걷는 묘기 끝에 통로 끝의 레이저 치료실 앞에 다다른다.

저, 드레싱을 다시 해주셔야 하지 않을까요?

방금 우산을 든 사람들 사이를 통과해 온 당신이 묻는다. 앳된 간호사는 별일 아니라는 듯 대답한다.

의사 선생님이 드레싱 해주셨잖아요? 레이저도 소독하는 거니까 걱정 마세요.

당신은 진료용 침대 위에 두 발을 올려놓는다. 탁상용 삼파장 스탠드를 열 배쯤으로 확대해 놓은 듯한 모습의 레이저 치료기가 그물 같은 붉은 광선을 쏘기 시작한다. 광선은 당신의 두 발뿐 아니라 침대의 하얀 시트까지 꽤 넓은 면적을 쉴 새 없이 방사형으로 훑어낸다.

눈 나빠지니까 들여다보지 마세요.

나무라며 나가는 간호사의 말을 아랑곳하지 않은 채 당신은 왼쪽 복사뼈 아래의 구멍을 들여다본다. 회백색으로 화농된 조직 위로 꿈틀거리는, 붉은 핏줄들 같은 광선의 움직임에서 눈을 떼지 못한다.

insurance. After paying for the treatments and receiving a prescription, you arrive at the laser treatment room at the end of the corridor after a great feat of dragging your shoes only with your toes.

"By the way, shouldn't you dress them again?" you ask, having just made your way through a crowd of people holding umbrellas. A young-looking nurse answers dismissively, "Hasn't the doctor dressed them already? Laser treatment sterilizes, too. Don't worry."

You sit down and put your two feet on the treatment bed. The laser treatment machine, which looks like a three-way lamp stand, only ten times bigger, begins to shoot a web of red rays. The rays keep radially sweeping a very wide area, including the white sheet on the bed as well as your two feet.

"Don't look because the rays might damage your eyes."

Ignoring the nurse's warning—she already left the room—, you look into the hole below your left anklebone. You can't take your eyes off rays moving like red veins, wriggling over the festering light gray tissue.

*

늦가을 토요일 오후의 인파가 병원 앞 네거리에 술렁이고 있다. 오전에 내렸던 비는 완전히 그쳤다. 짧은 모직 치마에 레깅스 차림의 젊은 여자들, 농구공과 콜라 캔을 들고 교복 셔츠 소매를 걷어올린 고교생들이 당신의 몸을 바싹 스쳐 지나간다. 그들의 몸에서 진한 향수와 땀 냄새가 풍긴다. 화장품 샘플이 가득 담긴 플라스틱 바구니를 들고 형식적으로 눈웃음치는 아르바이트생을 피하려고 당신은 미리 고개를 수그린다. 공사 중인 지하도로 빠르게 걸어 내려간다. 휴대폰을 할인 판매하는 지하 매장을 지나친다. 끝나지 않을 것 같은 계단들을 밟아 올라간다.

당신은 자꾸 잊어버린다. 방금 전까지 당신이 어디 있었는지, 무슨 치료를 받았는지, 지금은 어디를 향해 걷고 있는 건지 잊는다. 지하도 출구를 빠져나오자 당신은 걸음을 멈춘다. 활짝 문이 열린 전자 제품 매장에서 쏟아져 나오는 음악의 비트, 쉬지 않고 아스팔트를 뚫어대는 기계들의 먹먹한 소음에 넋을 빼앗긴다. 문득 정신을 차리고, 처방받은 항생제가 노트북 가방 앞주머니에 잘 들어 있는지 손끝으로 더듬어 확인한다.

On a Saturday afternoon in late fall the crowd at the crossroads in front of the hospital is bustling. The rain that fell all morning has stopped. Young women wearing short woolen skirts and leggings, and high school boys with their shirt sleeves rolled up, holding basketballs and cola cans in their hands, brush by you, their bodies exuding a strong scent of fragrance and sweat. In order to avoid the part-time sales rep holding a plastic basket full of cosmetics samples and smiling superficially with her eyes, you glance down before you pass her. You quickly descend into an underground passage under construction. You pass by a discount cell phone store. You walk up stairs that never seem to end.

You keep forgetting where you were just a while ago, what treatment you got, and where you're headed. After emerging from the underground passage, you stop. You're distracted by the beat of the music pouring out of an electronics store, its door wide open, and the deafening noise from excavators incessantly digging into asphalt. Suddenly, you come to and check to see if the antibiotics are still

당신은 이미 잊었다. 자신이 얼마나 재치 있는 농담을 좋아하는 사람이었는지, 나름으로 옷차림에 신경을 쓰는 사람이었는지 잊었다. 작은 키 때문에 늘 굽이 있는 단화를 신고, 자유스러운 밝은 색 옷을 걸치고, 흰색과 노란색 계열의 스카프를 두르고, 눈꼬리가 살짝 처진 눈엔 언제나 어렴풋한 장난기가 어려 있었던 것을.

목을 덮는 검은 스웨터에 검은 모직 재킷, 검은 면바지에 검은 단화를 신은 당신의 키는 초등학교 고학년생처럼 왜소해 보인다. 화장은커녕 입술에 립글로스도 바르지 않아, 서른을 훌쩍 넘긴 나이가 고스란히 드러나 보인다.

*

당신이 두 발목에 화상을 입은 것은 닷새 전, 왼쪽 발목을 접질린 다음 날이었다. 침을 맞을 만큼 심하게 삔 것은 아니었지만 당신은 동네의 한의원을 찾아갔다. 맵시 있는 개량 한복 치마를 입은 오십대 중반의 한의사에게 말했다.

예전에 오른쪽 발목을 접질리곤 대수롭잖게 여겼더니 아직까지도 좋지 않아서요. 이번에 삔 왼쪽은 미리 확실히 치료하려구요.

in the front pocket of your laptop bag.

You've already forgotten how much you liked witty jokes and how much you cared about your appearance. You've already forgotten that you always wore shoes with heels because you're short, that you liked to wear bright-colored, free-spirited clothes, that you wore mostly white and yellow scarves, and that you always wore a faint playfulness in your downward-slanting eyes.

Wearing a black turtleneck sweater, a black woolen jacket, black cotton pants, and black shoes, you look as small as an upper-level elementary school student. Because you aren't even wearing lip-gloss, let alone make-up, you look exactly your age: over thirty.

*

Your ankles were burned five days ago, the day after you sprained your left ankle. Although you hadn't sprained your ankle badly enough to need acupuncture, you still went to an oriental clinic in your neighborhood. You said to the fifty-something herbal doctor, who was wearing a tastefully modernized traditional Korean dress, "I sprained my

한의사는 당신을 침대에 눕도록 했고, 왼쪽과 오른쪽 발목에 모두 침을 꽂아 주었다.

눈 밑에 다크서클이 왜 그렇게 진하지요?

당신은 덤덤하게 대답했다.

피곤해서요.

어쩌다 발목을 삐었나요?

산에 갔다가……

한의사는 침을 꽂은 자리에 붉은 적열등을 쬐어 주고는 간호사를 불렀다.

간호사가 뜸을 뜰 거예요. 쌀알만큼 쑥을 뭉쳐서 이 자리에 뜨면, 만성이 된 통증까지 나아집니다.

한의사는 플러스펜을 꺼내 들고는, 당신의 양쪽 복숭아뼈 아래의 인대에 굵은 점을 찍어 뜸자리를 표시했다.

직접구라서 뜨거워요. 그래도 잠깐이니까. 괜찮겠지요?

별다른 의심 없이 당신은 네, 라고 대답했다.

살갗이 탈 때까지 불붙은 쑥덩이를 얹어 두는 뜸을 직접구라고 부른다는 것을 당신은 그날 처음 알았다. 참으려고 했지만 당신은 비명을 질렀다. 상냥한 형리(刑吏) 같은 간호사는 괜찮아요, 금방 끝나요, 하고 당신을 달랬다. 왼쪽 발목까지 살갗이 타는 동안 당신은 계속 소리를 냈

right ankle before, but ignored it. It still hasn't healed completely. This time I sprained my left ankle, so I'd like to take good care of it."

The herbal doctor had you lie on the bed and applied acupuncture to both your left and right ankles.

"Why do you have such dark circles under your eyes?" she asked.

"I'm tired."

"How did you sprain your ankle?"

"I was in the mountains..."

The herbal doctor aimed red-hot lights at your ankles, with needles stuck in them, and called a nurse.

"The nurse will cauterize the areas with moxa. If we cauterize them with rice-sized grain of moxa, even the chronic pain will disappear."

The herbal doctor took out a felt-tip pen and made a dot on the ligament under each of your anklebones.

"This will be very hot because it's direct cauterization. It's going to be quick. You're fine with that, right?"

Without any apprehension, you answered "yes."

You learned for the first time that day that the

고, 자신의 목구멍에서 나오는 소리가 당신의 언니의 그
것과 똑같이 닮아 있다는 사실을 문득 깨달았다. 무심코
수도꼭지를 덜 잠근 것처럼 소리 없이, 끝없이 흐르는 당
신의 눈물에 간호사는 당황했다. 당신이 더듬더듬 양말을
신고, 구두를 꿰어 신고, 카드로 진료비를 계산하고 한의
원을 나와 엘리베이터를 향해 걸어갈 때까지도 눈물은 멈
추지 않았다.

*

　한의원에 다녀온 다음 날부터 당신은 일에 몰두했다.
예정에 없이 나흘을 쉰 뒤였으므로 일은 몹시 밀려 있었
다. 당신은 비몽사몽간에 이를 닦았고, 오 분 만에 급하게
샤워를 했고, 머리를 말릴 틈도 없이 기획회의에 늦지 않
기 위해 버스 정류장으로 달려갔다. 언제 메인보드가 날
아가 버릴지 모를 이 킬로그램짜리 낡은 노트북을 양어깨
에 둘러메고 도서관과 카페를 전전하며 라디오 대본을 썼
다. 눈이 떠지지 않을 때마다 커피를 마셨고, 뜨겁게 달아
오른 휴대폰을 붙들고 게스트를 섭외했고, 녹화 시간 내
내 스튜디오의 컴퓨터 앞을 떠나지 않으며 방송을 챙겼

kind of cauterization that puts a burning mass of moxa on top of the wound until the skin underneath is burnt is called direct cauterization. Although you tried very hard to endure the pain, you screamed. The nurse, like a kind executioner, comforted you, saying, "It's ok. It will be over before you know it." You kept on moaning while your left ankle was burned. You suddenly realized that the moaning escaping your throat sounded exactly like your elder sister's. The nurse was confounded by your tears that kept flowing endlessly and quietly as if from a faucet someone forgot to turn off completely. Your tears didn't stop while you were fumbling to put on your socks and shoes, paying for the treatment with a credit card, and walking toward an elevator after leaving the oriental clinic.

*

Immediately after you had visited the clinic, you were completely absorbed in your work. Since you had been away unexpectedly for four days, you had a lot to catch up on. You brushed your teeth while half-asleep, took a five-minute shower, and ran

다. 그러는 사이 왼쪽 발목의 뜸자리에서 수포가 부풀고, 양말 속에서 수포가 터지고, 그 자리가 세균에 감염돼 빨 갛게 부푸는 것을 알아채지 못했다. 상처가 욱신거릴 때 면 발목을 삔 자리가 그렇겠거니 생각했다. 토요일 아침 녹음실에서 아픔을 참지 못하고 발등까지 양말을 내려 보 았을 때에야 당신은 사태가 심각하다는 사실을 깨달았다. 흘긋 상처를 본 다혈질의 피디는 당신에게 자초지종을 물 었고, 벌어진 입을 다물지 못했다.

정 작가! 원, 알 만한 사람이 이렇게 무식해? 아무리 작 은 화상도 제때 치료 안 하면 무섭다는 거 몰라요? 손 자 르고 발 자르는 게 남의 일 같아요?

*

이제 당신은 버스 정류장의 투명한 아크릴 벽에 기대서 있다. 아크릴 벽에 색색의 활자로 코팅된 인근 성형외과 의 광고문을 무심코 읽는다. *사랑하는사람이면실반지도 좋으세요?오!캐럿다이아가부럽진않으세요?새로운인생의 시작!그랜드성형외과.* 얼른 이해되지 않아 천천히 다시 읽은 뒤, 각각 두 개씩인 물음표와 느낌표 들을 들여다보

toward the bus stop without drying your hair so you wouldn't be late for planning meetings. You wrote scripts for radio programs, wandering from libraries to cafes, shifting from shoulder to shoulder your two-kilogram laptop whose motherboard could die at any minute. Whenever you couldn't keep your eyes open, you drank coffee, talked with program guests on your red-hot cell phone, and oversaw recordings without leaving your seat in front of the computer in the studio. You didn't realize all along a blister was forming on that cauterized spot on your left ankle, that it burst inside your sock, and the area was becoming infected and swollen. Whenever you felt a stinging pain, you simply assumed it was because you sprained your ankle. When on Saturday morning you finally couldn't stand the pain any more and rolled down your sock to the top of your foot in the recording room, you realized that it was quite serious. After glancing at your wound, the hot-tempered producer asked you what happened and his jaw dropped when he heard.

"Miss Jeong! My goodness, how could you be so ignorant? You should have known better! Don't you know a burn should be taken care of right away no

다 고개를 든다.

　몇 번이었더라.

　단순한 기억을 되살리려고 당신은 미간을 찌푸린다. 여기서 몇 번 버스를 타야 집으로 가더라.

　막상 버스가 나타나면 그 낯익은 번호를 곧 알아볼 수 있을 것이라고 당신은 믿고 있다. 그러나 제각기 다른 번호의 버스들이 여남은 대 정차했다 떠나가는 것을 당신은 다만 지켜본다. 이런 일은 처음이다. 모든 번호들이 낯설다. 모든 숫자들이 힘을 합해 당신을 밀어내고 있다. 그제야 당신은 깨닫는다. 지금 부모님의 집으로 가는 게 옳으리라는 마음의 부담 때문에, 당신의 원룸으로 데려다 줄 버스 번호를 기억할 수 없는 거라는 사실을.

　당신은 알고 있다. 이 주말에 당신은 부모님을 위로하러 가야 한다. 당신이 그들을 애써 위로하지 않는다 해도, 남은 자식이 함께 있다는 사실만으로 그들은 위로받을 것이다.

　그러나 지금 당신은 그렇게 하지 않으려고 한다.

　혼자 있고 싶어 한다.

matter how small it is? Do you think you couldn't lose a hand or a foot?"

*

Now you're leaning against the transparent acrylic wall of the bus stop. You absentmindedly read the colorful letters of an advertisement for a neighborhood cosmetic surgery clinic stuck on the acrylic wall. *DoYouThinkYouWon'tMindaStringThinRingIf It'sFromYourLover?Oh!Don'tYouEnvyaCarat-sized Diamond?TheBeginningofaNewLife!GrandCosmetic SurgeryClinic.* You can't understand it, and read it again—this time more slowly. After staring at the two question marks and two exclamation marks, you lift your face.

What number is it?

In order to revive a simple memory, you knit your brows. What number bus should you take home?

You believe you can recognize the familiar number once the bus appears. But you keep on staring at more than ten buses with different numbers as they stop and leave. This never happened before. All numbers look strange. All numbers conspire to

*

　당신의 언니가 투병하던 마지막 삼 개월 동안 당신은 그녀를 거의 만나지 못했다. 그녀가 당신을 만나기를 원하지 않았기 때문이다. 물론 그것은 당신과 그녀가 이미 오래전부터 소원한 사이였기 때문이었다. 하나뿐인 친자매였음에도, 당신은 그녀의 병세에 대한 모든 소식을 어머니로부터만 전해 들었다.

　당신의 언니는 눈에 띄게 후리후리한 키에 뚜렷한 이목구비를 가졌다. 사람들은 평범한 외모의 당신이 언니에게 열등감을 가지고 성장했을 거라고 짐작했지만 그건 사실이 아니었다. 열등감을 가졌던 쪽은 당신의 언니였다.

　당신이 이해할 수 없었던 점은, 그녀가 질투한 것들이 어김없이 당신의 결점들이었다는 사실이었다. 당신이 고지식하고 고집이 센 것을, 그래서 신통찮은 전공을 택한 것을, 서른을 넘기도록 제대로 된 연애 한 번 해보지 못한 것을, 부모와—특히 아버지와—관계가 좋지 않아 경제적 도움을 거의 받지 못한 것을, 그래저래 그 나이 먹도록 원룸 월세를 내며 불안정하게 살고 있는 것을 그녀는 질투했다. 그녀 자신은 건실한 사업체를 가진 여덟 살 연상의

push you away. Then you realize. You can't remember the number of the bus that will take you to your studio because you are feeling compelled to go to your parents' house, knowing it would be better for you to do that.

You know that you have to visit your parents this weekend to comfort them. Even if you don't make any effort to comfort them, you, their remaining child, will comfort them just by being there.

But you are trying not to do that.

You want to be alone.

*

You were rarely able to see your sister during her last three months when she was struggling with her illness. Your sister didn't want to see you. Of course that's because you had been estranged for a long time. Although she was your only sibling, you heard all about her illness only through your mother.

Slender and tall, your sister stood out. Her facial features were well defined. People thought you, with your plain looks, must have grown up with an inferiority complex, but that was not true. It was

잘생긴 형부와 결혼했고, 거실에서 강이 내려다보이는 아파트에서 살았고, 먼 나라의 왕실에서나 사용할 법한 식기들을 장식장에 진열해 두었지만, 마치 냄새가 싫은 음식을 꺼리듯 자신의 인생을 멀리하는 것처럼 보였다.

*

언젠가 당신은 스스로에게 물은 적이 있었다.

어디서부터 무엇이 잘못되었는지.

당신과 언니, 둘 가운데 누가 더 차가운 사람이었는지.

당신이 대학 일학년, 당신의 언니는 졸업반이었을 때였다. 종강한 직후였으니 십이월 둘째 주나 셋째 주 월요일이었다. 나랑 같이 어디 좀 가, 라고 아침에 그녀가 말했을 때 당신은 물었다.

어딜?

병원에.

어디가 아프냐고 당신이 묻자 그녀는 말했다. 그냥 따라만 와.

금방이라도 눈발이 쏟아질 것 같은 오전이었다. 그녀가

your sister who had suffered from an inferiority complex.

You couldn't understand why your sister was jealous of all your shortcomings. She was jealous that you were simple-minded and stubborn, that you chose an unpopular major in college, that you hadn't had a decent love affair by age thirty, that you didn't get any real financial support from your parents because you didn't get along with them—especially with your father—and that you were living an unstable life, still paying monthly rent for your studio, at your mature age. She married a handsome man eight years older than herself who owned a solid business, lived in a high-end apartment with a living room overlooking a river, and had a display case where she showed off tableware worthy of a royal family in a distant land. Yet, she seemed to keep her life at a distance as if shunning foul-smelling food.

*

One day you asked yourself.

You asked what went wrong and where.

You asked who was colder, you or your sister?

소파수술을 마치고 나올 때까지 당신은 대기실에 앉아 두 주먹을 움켜쥐고 있었다. 수술실에서 나온 그녀를 당신이 멈칫멈칫 부축하려고 하자 그녀는 짜증을 냈다. 병원을 나와 당신이 택시를 잡자, 그녀는 뒷좌석으로 들어가며 말했다.

나 좀 누울게. 넌 앞에 앉아.

막 눈발이 쏟아질 것 같던 하늘은 아직 한 점의 눈송이도 뱉어내지 않았다. 크리스마스가 가까운 거리는 붐볐다. 끝없이 붉은 미등을 켠 차들이 숨죽인 채 좌회전 신호를 기다리고 있었다. 당신은 앞좌석에서 여전히 두 주먹을 쥐고 있었고, 이따금 뒷좌석에 웅크려 누운 언니를 돌아보았고, 감기에 걸린 것처럼 목구멍이 따가웠다.

당신의 언니는 당신에게 아무것도 당부할 필요가 없었다. 당신이 그 비밀을 언제까지나, 부모는 물론 누구에게도 발설하지 않고 끝까지 짊어질 유일한 사람이라는 것을 알고 있었기 때문이다. 그럴 수 있을 만큼 온 힘을 다해 그녀를 사랑하고 있다는 것을 잘 알았기 때문이다. 그것을 알면서도 당신의 언니는 그날 이후 당신을 더 이상 사랑하지 않았다. 당신과 말을 섞으려 하지 않았고, 눈조차 제대로 맞추려 하지 않았다. 그 후 수년간 당신은 그녀의

It happened when you were a freshman and your sister was a senior in college. It must have been Monday of the second or third week of December, as it was right after the fall semester ended. When she said that morning, "Please go somewhere with me," you asked, "Where?"

"The hospital."

When you asked what her illness was, she said, "Just come with me."

It was a morning when it looked as if it would snow heavily. Until she came out of the operating room after the abortion, you were waiting for her with your fists tightly clenched. When you hesitantly offered to support her, she was furious. When you got a taxi, she got in the back seat, saying, "I'm going to lie down a little. Sit in front."

The sky that looked about to gush snowflakes hadn't yet spit out a single flake. Anticipating X-mas, the streets were crowded. Endless cars with red taillights were waiting for the traffic light to change so they could make a left turn. You were still clenching your fists in the front seat and turned from time to time to see your sister crouching in the back seat. You had a sore throat as if you had a

마음을 다시 얻기 위해 애썼지만, 어떤 노력도 부질없다는 사실을 깨달은 한순간 그녀에게서 돌아섰다.

*

그녀의 눈은 맑고 깊었다. 목이 길고 쇄골이 가냘팠다. 손톱과 발톱은 사철 곱게 손질되었고, 여름날이면 샌들의 가죽 끈 사이로 드러난 작은 발이 아련했다. 당신이 대학에 합격했을 때 그녀는 당신을 괜찮은 레스토랑에 데려갔다. 나이프와 포크 쓰는 법을 알려주고는 조그만 하트 모양의 십팔 케이 펜던트를 선물했다. 이렇게 줄이 짧은 목걸이는 꼭 금이어야 해, 라고 그녀는 진지하게 충고했다. 은이나 구리 같은 건 안 돼. 스스로 값을 떨어뜨리는 거야.

활짝 웃으며 그녀는 말을 이었다.

우리 집 여자들은 눈꺼풀이 얇아서 쌍꺼풀 수술은 안 해도 돼. 그런데 너는 앞트임 정도는 하는 게 좋겠다. 훨씬 눈매가 시원해질 것 같아.

레스토랑을 나온 당신은 그녀가 이끄는 대로 알 만한 브랜드의 상점들을 순례했지만, 끝내 그녀가 권하는 옷을 사지 않아 그녀를 서운하게 만들었다. 비스듬히 세워져

cold.

Your sister didn't have to ask anything of you. She knew that you were the only person who would forever keep the secret from anybody, including your parents. Because she knew that you loved her with all your heart. Despite that knowledge, your sister no longer loved you after that day. She didn't want to talk with you, or even look you in the eyes. Although you tried very hard to regain her heart for a few years after, you realized one day that no effort of yours could bring back her love and you turned away from her.

*

Her eyes were clear and deep. She had a long neck and delicate collarbones. She kept her fingernails and toenails neat. In the summer, her small feet, visible through the leather straps of her sandals, were sweet. When you were accepted to college, she took you to a nice restaurant. After teaching you how to use Western-style knives and forks, she presented you with a small heart-shaped 18K pendant. "A short necklace like this should be gold," she advised earnestly. "Not silver or copper.

다리가 유난히 길어 보이는 전면 거울 속에서, 그녀가 선물한 조그만 펜던트가 당신의 목 위로 반짝였다. 당신은 계속해서 고개를 흔들며 아니야, 라고 말했다. 이런 건 내 취향이 아니라니까.

그 해가 지나가기 전에, 당신은 늦은 밤 그녀의 방에서 물었다. 난 정말 모르겠어, 사람들이 어떻게 통념 속에서만 살아갈 수 있는지, 그런 삶을 어떻게 견딜 수 있는지. 당신에게 등을 돌린 채 화장을 지우고 있던 그녀의 얼굴이 거울 속에서 얼핏 어두워졌다. 거울을 통해 당신의 눈을 마주 보며 그녀는 대꾸했다. 그렇게 생각하니, 하지만 그럴 수 있어서 다행이라고 생각하는 사람들도 있지 않을까, 통념 뒤에 숨을 수 있어서.

그때 당신은 그녀를 이해한다고 느꼈다. 여러 겹 얇고 흰 커튼 속의 형상을 짐작하듯 어렴풋하게. 그녀는 아무것도 모르는 여자애가 아니었다. 다만 가장 안전한 곳, 거북과 달팽이들의 고요한 껍데기 집, 사과 속의 깊고 단단한 씨방 같은 장소를 원하는 것뿐이었다.

They cheapen you."

Smiling brightly, she continued, "Women in our family don't need eyelid surgery because we have thin eyelids. But you'd better have a Mongolian-fold surgery. Your eyes will look much bigger."

After leaving the restaurant, she led you on a round of brand-name stores, but you made her sad by not buying the clothes she recommended. In the mirror that made your legs especially long because it was tilted at an angle, the small pendant she gave you shone on your neck. You kept shaking your head, saying, "No, this is not me."

Before that year was over, you once said to her in her room late at night, "I really have no idea how people can live confined within generally accepted notions, how they can endure such a life..." She was removing her make-up in front of the mirror, sitting with her back to you. For a moment her reflection darkened. Looking into your eyes in the mirror, she said, "Do you think so? But wouldn't there be people who find it fortunate to be able to do that, I mean, to hide behind generally accepted ideas..."

At that moment, you felt you understood her—vaguely, as if making out a form behind many lay-

*

　그녀가 아이를 갖기 위해 십 년 가까이 쏟아부은 노력들을 당신은 어머니로부터 낱낱이 들어 알고 있었다. 한방병원에서 지은 고가의 탕약들. 배꼽 아래에 흉이 생길 때까지 받았다는 쑥뜸 치료. 불임 시술을 위한 검사들. 초조하게 시술 날짜를 기다리던 시간. 잔혹하게 반복된 계류유산.

　가족 모임에 당신이 나타나면 그녀의 얼굴이 어두워진다는 것을 아는 사람은 당신뿐이었다. 활짝 미소를 지은 채로, 당신은 당신의 언니를 사랑하지 않으려 애썼다. 낯선 여자를 바라보듯 그녀를 보려 애썼다. 그녀가 웃을 때면 장난꾸러기처럼 찡그려지는 콧잔등을 다정하게 바라보지 않으려 애썼다. 유년 시절을 함께 보낸 혈육을 향해서만 느낄 수 있는, 이루 말할 수 없는 친숙한 감정을 당신의 내부에서 깨우지 않기 위해 애썼다. 당신의 마음을 최대한 차갑게, 더 단단하게 얼리기 위해 애썼다.

ers of thin white curtains. She wasn't a naive girl. She only wanted the safest place, a quiet shell house like a turtle or a snail, a place like a deep and hard ovary inside an apple.

*

You knew all about her efforts for almost ten years to have a baby: expensive herbal teas from clinics, moxa cauterization treatments she got below her navel until she had a scar, tests for fertility treatments, times when she was anxiously waiting for treatments, and cruelly repeated miscarriages.

You were the only one who noticed that her face darkened whenever you showed up at your family gatherings. Smiling brightly, you tried not to love your sister. You tried very hard to look at her as if she was a stranger. You tried not to look lovingly at the bridge of her nose that wrinkled when she laughed like a mischievous boy. You tried very hard not to awaken the indescribably tender feelings you have only toward your own flesh and blood with whom you shared a childhood. You tried to freeze your heart to be as cold and hard as you could.

*

　당신은 졸기 시작한다.

　마침내 기억해 낸 친숙한 번호의 버스에 올라, 맨 뒷좌석의 창가 자리에 앉은 직후부터다.

　가장 막히는 구간을 따라 마을버스가 당신의 방을 향해 흘러가는 동안, 정류장을 알리는 안내 방송과 요란한 지역 광고 멘트가 수차례 커다랗게 흘러나오는 동안, 당신은 부끄러운 줄도 모르고 존다. 옆 사람의 어깨에, 창문에 고개를 꺾어 기댄다. 자세 때문에 목이 끊어질 듯 아프다. 차라리 깨어 버리면 좋으련만, 눈을 뜨려 할 때마다 인정사정없이 눈꺼풀이 밀려 내려온다. 마침내 입가에 침까지 흘리며 당신은 존다. 으음, 음, 노파처럼 앓는 소리를 낸다. 수차례 커다란 소리를 내며 창문에 이마를 부딪친다. 당신은 손을 들어 입가를 닦아낸다. 무디디무딘 눈꺼풀을 치뜬다. 다시 눈꺼풀이 밀려 내려온다.

*

　그녀는 삼십칠 킬로그램까지 몸무게가 줄었고, 의식을

You begin to doze off.

You begin to doze off right after sitting at a window seat in the far back of the bus you get on, after finally remembering its familiar number.

While the shuttle bus is floating toward your room along the most congested part of the route, while announcements about stops and local advertisements are loudly blaring from the speaker, you are dozing off shamelessly. You lean on the shoulder of the passenger next to you, and on the window, your head tilting sideways. Your neck hurts in this awkward position. Although it would be better to wake up, your eyelids are being pushed down ruthlessly. You're dozing off, finally even slobbering. You moan and groan like an old woman. Your forehead bumps the window many times, making a loud noise. You raise your hand and wipe your mouth. You raise your dull eyelids. They are being pushed down again.

잃기 직전까지 고통을 호소했다. 아파, 아파, 라고 아이처럼 가느다랗게 비명을 질렀다. 아빠, 나 좀 살려줘, 라고 그녀가 애원하자 무뚝뚝한 아버지의 턱이 덜덜 떨렸다. 덩치 큰 형부는 뒤돌아서서 울었다. 어머니는 그녀의 손을 감싸 쥔 채 아가, 아가, 라고 속삭였다. 당신은 자책을 멈추지 못했다. 당신의 존재가 그녀의 마지막 순간을 망치고 있다는 생각을 멈추지 못했다. 언니, 라고 마침내 떨리는 입술을 열고 말하려 했을 때는 이미 모든 것이 끝난 뒤였다.

*

내릴 곳을 훌쩍 지나친 것을 알고, 졸다 깬 당신은 허겁지겁 가방을 둘러메고 하차 벨을 누른다. 처음 보는 낯선 거리에 내려서자마자 사방을 두리번거린다. 아크릴 벽에 붙은 버스 노선표를 뚫어지게 들여다보고는, 세 정거장만 거슬러 걸으면 된다는 사실에 안도한다.

차량도 행인도 많지 않은 거리를 따라 걸음을 옮기는 동안 차츰 몸에서 잠이 가신다. 당신이 내렸어야 할 정거장에 다다랐을 때쯤에는 눈이 완전히 또렷해져 있다. 그

Her weight dropped to thirty-seven kilograms. She complained of the pain until the moment she lost consciousness. "It hurts, it hurts," she cried softly, like a child. When she pleaded, "Daddy, please help me." your usually cold-mannered father's chin was quivering. Your husky brother-in-law turned away and cried. Holding her hand in her own hands, your mother whispered, "My baby, my baby." You couldn't stop blaming yourself. You couldn't stop thinking that your presence was ruining her last moment. When you finally opened your quivering mouth and tried to call her, "*Eonni*," everything was over.

*

Waking up and realizing that you passed your stop, you rush to grab your bag and ring the bell. As soon as you get off on a strange street you've never seen before, you look around in all directions. After staring at the bus-line map attached to the acrylic wall, you realize that you have only three stops to walk back. A relief.

래도 아직 졸음이 남아, 무딘 얼굴에 닿는 공기가 어딘지 폭신하게 느껴진다.

마침내 당신의 방이 있는 원룸 건물 앞에 이르렀을 때 당신은 멈춰선다. 건물 뒷마당에 세워 놓은 당신의 자전거를 본다. 어깨를 짓누르는 이 킬로그램짜리 노트북컴퓨터를 짊어진 채, 발목의 상처들이 욱신거리는 것을 참으며 당신은 잠자코 서 있다.

당신이 지금 당신의 자전거를 보고 있는 것은, 그것이 당신에게 기쁨을 주었던 물건이기 때문이다. 그것을 타는 일 말고는 어쩌면 어떤 일도 진심으로 사랑하지 않았기 때문이다. 오직 자전거를 탈 때에만, 당신의 삶이 실은 돌이킬 수 없는 실패일지 모른다는 생각이 들지 않았다. 이 세상의 모든 화려한 행복이 매순간 당신을 따돌리고 있는지 모른다는 느낌도 조용히 떨쳐졌다.

그 기쁨을 기억하게 될까 봐 당신은 두려워하고 있다. 언덕길을 미끄러져 내려가던 아찔한 속력을, 하천 옆으로 난 자전거 도로를 힘차게 달리던 감각을 기억해 낼까 봐 당신은 두렵다.

마침내 당신은 자전거를 외면한다. 이층에 있는 당신의 방으로 데려다 줄 석조 계단을 하나씩 밟아 오른다. 열쇠

Walking along a street with few cars or pedestrians, you start to feel more awake. When you arrive at the stop where you should have gotten off, your eyes are wide open. Still, a lingering sleepiness somehow makes the air around your dull face feel soft.

When you finally arrive at the building where your studio is, you stop. You look at your bicycle parked in the backyard. With the two-kilogram laptop pressing down on your shoulder, you stand there, enduring the stinging pain in your ankles.

You're looking at your bicycle now because it gave you happiness—because you probably haven't truly loved anything other than riding it. Only when riding it did you feel that your life might not be an irrevocable failure. You could quietly shake off the feeling that you might be left out of all the dazzling happiness in this world.

You're afraid of remembering that joy. You're afraid of remembering the dizzying speed of coasting down a slope and the exciting propulsion of a ride on the bike path along the brook.

At last, you look away. You walk up the stone stairs step by step, stairs that will take you to your place on the second floor. You open the door with

로 문을 열고 어둑한 실내로 들어간다. 노트북이 든 가방을 현관에 내려놓는다. 구두를 벗지 않은 채 차가운 장판 바닥에 걸터앉고는, 그대로 길게 몸을 눕힌다.

당신의 언니는 자신을 태우지 말고 땅에 묻어 달라고 형부에게 말했다고 했다. 그것이 얼마나 그녀다운 유언인지 당신은 알고 있었다. 어린 시절, 죽었던 사람이 관 속에서 되살아나는 허술한 리얼리티 드라마를 텔레비전으로 보며 그녀는 당신에게 소곤소곤 말한 적이 있었다. 세상에, 얼마나 다행이니? 화장해 버렸음 저 사람 어쩔 뻔했니?

심장이 좋지 않은 당신의 아버지는 영결식만 치른 뒤 고모 내외와 함께 먼저 귀가했고, 형부의 부축을 받고 묏자리까지 올라온 어머니는 하관이 끝날 때까지 수차례 흙바닥에 주저앉았다. 어머니를 부축해 내려오다가 당신은 호되게 발목을 삐었고, 신음을 삼켰고, 그따위의 일을 아무도 알아채지 못하게 했다.

*

일주일.

44

your key and enter the dusky room. You put your laptop bag on the floor by the entrance. Without taking off your shoes, you perch on the cold, oil-papered floor and then lie down.

Your sister asked her husband to bury her without cremation. You know how like her that was. Watching a silly reality TV show together as children, you saw a dead man come back to life in his coffin and she whispered to you, "Goodness! How fortunate! What if they had cremated him?"

Your father, who has a heart condition, went home with his sister and her husband right after the funeral. Your mother, who went up to the gravesite with your brother-in-law's help, collapsed to the ground many times until the coffin had been lowered into the grave. You badly sprained your ankle helping your mother down the hill, and swallowed your scream so that nobody would be bothered by such a trifle.

*

One week.

Lying on the floor, you mutter to yourself.

바닥에 누운 채로 당신은 소리 내어 중얼거린다.

이제 일주일이 지났을 뿐이다.

당신의 구두 속에서 회백색 구멍들이 욱신거린다. 불을 넣지 않은 장판이 당신의 등과 어깨에 얼음처럼 차갑다.

*

그러니까, 이제 일주일이 지났을 뿐이다.

이틀 뒤 두 번째로, 이틀이 더 지나 세 번째로 다시 당신이 의사에게 그 상처들을 보여주리라는 것을 당신은 지금 모른다. 하루만 더 지켜보죠, 라고 의사가 말하리라는 것을 모른다.

인대, 근육, 신경이 다 모여 있는 곳이라서, 가능하면 수술을 하지 않는 게 좋습니다.

당신이 다시 구두를 앞코로만 끌고 걷는 묘기를 해 수납을 하리라는 것을, 오후 여섯 시가 지나 야간 진료비가 추가되리라는 것을 당신은 모른다. 붉은 거미줄 같은 레이저 광선이 훑고 지나가는 왼쪽 발목의 구멍을 다시 들여다보리라는 것을 모른다. 죽어 있는 회백색의 피부 조직을 보며, 드레싱을 할 때 왼쪽은 아팠지만 오른쪽은 오

It's only been a week.

Inside your shoes, you feel stinging pain in the light gray holes. The unheated oil-papered floor feels icy cold on your back and shoulders.

*

Right, it has only been a week.

You don't know yet that you'll show your wounds to your doctor for the second time two days later and for the third time two days after that. You don't know the doctor will say, "Let's wait one more day."

"There's a ligament, muscles, and nerves in there, so it's better not to operate, if possible."

You don't know that you'll suffer after another bout of walking on your toes and that you'll have to pay the nighttime premium because it will be past six p.m. You don't know you'll look into the hole in your left ankle covered with laser rays like a red spider web. You don't know that while looking at the gray-white, dead tissue, you'll remember that when the wounds were dressed, you felt pain in the hole on your left ankle but not on the right. You don't know that you'll think, 'The nerves are probably dead. The doctor will probably cut out this dead

히려 아프지 않았던 걸 기억하리라는 것을 모른다. 아마 신경이 죽어 버린 모양이지, 생각하리라는 것을 모른다. 수술을 하면 이 죽은 부분을 도려내는 거겠지. 가장자리 생살에서 피가 흐르겠지.

그따위, 라고 생각하며 당신이 마른 눈을 깜박이리라는 것을 모른다.

*

……더 추워지기 전에,

그 어떤 앞일도 알지 못한 채 당신은 차가운 바닥에 누워 생각한다.

그 전에 꼭 한 번 자전거를 탄다면 죄일까?

당신은 천천히 몸을 일으켜 앉는다. 구두를 벗고는 때 묻은 흰 운동화를 신장에서 꺼내, 느슨하게 끈을 풀어 신는다. 다시 석조 계단을 밟아 내려가, 원룸 건물의 그늘진 마당으로 침착하게 걸음을 옮긴다. 낡은 차양 아래 세워 진 자전거의 체인을 푼다. 지난 이태 동안 부지런히 타온 자전거다. 비가 퍼붓는 여름날에도 타고 나가곤 했기 때문에, 그때그때 마른 수건으로 닦아주고 비닐을 씌워 두

area during an operation. Blood will flow out of the raw flesh nearby.'

You don't know that you'll blink your dry eyes, thinking, 'Such a trifle.'

*

Before it gets colder...

Without knowing what's ahead, you wonder, lying on the cold floor, *whether it would be a sin to ride the bike before it gets colder.*

You slowly get up and sit down. You take off your shoes, take some dirty white sneakers from the shoe rack, and put them on, loosely tying their laces. You go down the stone stairs and calmly walk into the shady yard of the studio building. You unlock the chain from the bicycle under the awning. It's a bicycle you have ridden diligently for the past two years. Because you rode it on rainy summer days as well, it got rusty here and there, although you dried it every time you rode it and kept it under a plastic cover. You kick the support stand up with your right foot and take the bicycle outside.

You get on the seat. You put your right foot on the pedal. You kick the ground with your left foot.

었는데도 구석구석 녹슨 데가 있다. 당신은 오른발로 툭툭 쳐서 받침대를 올린 뒤, 자전거를 끌고 골목으로 나간다.

당신은 안장에 몸을 싣는다. 페달에 오른발을 얹는다. 왼발 끝으로 땅을 구른다. 비탈진 골목길을 미끄러져 가기 시작한다. 골목의 끝과 일 차선 도로가 만나는 곳에 주유소가 있다. 갑자기 튀어나올지 모를 차량을 조심하려고 당신은 속력을 줄인다. 도로변의 인도로 자전거를 몰고 간다. 신호등 앞에서 푸른 불이 켜지기를 기다렸다가, 횡단보도 건너편에 있는 천변 길을 향해 달린다. 급하게 비탈진 진입로에 이르자 페달을 놓고 미끄러져 내려간다. 잎이 다 떨어진 버드나무들이 검고 섬세한 뼈대를 드러낸 채 물가에 무리지어 서 있다. 퇴색된 잎들이 아직 붙어 있는 활엽수들 아래를 당신은 빠르게 달린다.

속력을 낼수록 바람이 강해진다. 이 바람을 맞으려고 당신은 여름 한낮에도 이 길을 자전거로 달리곤 했다. 뙤약볕이 이글거리는 팔월의 정오, 가만히 있어도 땀이 비오듯 흐르는 시간을 골라 이 길을 달렸다. 습기 차고 무더운 바람의 덩어리 속을 자전거로 뚫고 지나갔다. 당신은 살아 있었다. 생생하게 살아서 그 무더운 공기를 가르고 있었다. 별안간 소나기가 쏟아지면 온몸이 흠뻑 젖은 채

You begin rolling down the sloped alley. There is a gas station at the end of the alley where it meets a one-lane road. You slow down, watching out for a car that might suddenly jump out. You ride your bicycle toward the sidewalk. After waiting for the traffic light to turn green, you blast through the crosswalk toward the bike path along the riverbank. When you get to the sharply sloping ramp, you let go of the pedal and coast down. Naked willow trees, exposing their delicate black skeletons, are lining the riverbank in groups. You speed up under the broadleaf trees with faded leaves.

The faster you go, the stronger the breeze becomes. In order to feel this breeze, you used to ride your bicycle on this road even at midday in the summer. You deliberately rode this path in August at midday under the scorching sun, a time when you could sweat even while sitting still. The bicycle passed through the mass of a wet and heavy breeze. You were alive. Vividly alive, you were cutting through that sweltering air. If you ran into a sudden shower, you rushed toward the nearest concrete bridge, completely soaked by the rain. You felt the kind of joy that would make you scream like crazy for no reason. Last summer, when your

가장 가까운 콘크리트 다리를 향해 달렸다. 미친 듯이, 아무 까닭도 없이 소리를 지르고 싶은 기쁨을 느꼈다. 그러니까 지난 팔월, 당신의 언니가 친정의 누구에게도 알리지 않은 채 형부의 차에 실려 병원을 오가고 있었을 때 당신은 그렇게 미칠 듯한 기쁨을 느꼈다.

*

이제야 살아나네요.

당신의 왼쪽 발목의 구멍 속에서, 회백색 조직 가운데 샤프심으로 찍은 것 같은 불그스름한 점 하나가 생긴 것을 보고 의사가 말하리라는 것을 당신은 모른다.

아주 진행이 더디긴 하지만, 일단 이게 살아난 걸 보니 수술은 하지 않아도 되겠습니다.

습윤 테이프 안에서 끝없이 하얀 진물이 흐르고, 일주일에 두 번 레이저 치료를 위해 열어 보는 상처는 변함없이 샤프심으로 찍은 붉은 점 하나이리라는 것을 당신은 모른다. 한 달도 더 지나서야 그 붉은 점이 두 개가 되고, 두 달이 가까워졌을 때에야 굵은 연필로 찍은 점 정도로 커지리라는 것을 모른다.

sister was riding to and from hospitals in her husband's car, keeping it a secret from her family, you were feeling that kind of ecstasy.

*

"It's finally reviving."

You don't know your doctor will say that, looking at a tiny reddish dot the size of a point made by a mechanical pencil in the midst of the gray white tissue in the hole on your left ankle.

"Although the progress is quite slow, judging from this, you don't need surgery."

You don't know that your wound, which oozes endlessly under the wet tape and is uncovered twice a week for laser treatments, will remain a red dot the size of a point made by a mechanical pencil. You don't know that red dot will become two dots more than a month later and then become a larger dot the size of a point made by a thick pencil.

"This is really slow. This is indeed a very rare case."

You don't know that the doctor whose face will no longer seem strange will feign a laugh, furrowing his brows.

정말 더디네요. 이렇게 더딘 것도 드문 케이스인데요.

이제 더 이상 낯설지 않은 얼굴의 의사가 미간을 모으며 헛웃음을 웃으리라는 것을 모른다.

*

그 어떤 것도 모르는 채 당신은 계속 페달을 밟고 있다.

여름날 당신이 비를 피하곤 하던 다리 아래를 지난다. 당신이 감탄하며 지켜보곤 하던 물오리들을 지나친다. 목을 동그랗게 안으로 말아 부리로 제 깃털을 매만지는 그것들의 몸놀림이 보인다. 물 위로 평평하게 드러난 바위에 밝은 주황색 발을 올려놓고 몸을 말리는 녀석들이 보인다. 여름보다 몸집이 커진 흰 두루미가 보인다. 지금은 물속에 있어서 보이지 않지만, 선명한 빨강색 발을 가진 놈이다. 더 페달을 밟았을 때 당신은 본다. 늙은 회색 왜가리 한 마리가 꼼짝 않고 물 가운데 서서 먼 곳을 바라보고 있다. 그토록 커다란 새가, 그토록 고요하고 느리게 존재한다는 사실에 당신은 몰래 감동하곤 했다. 자전거를 멈추고 서서 한참 동안 그것을 바라보곤 했다.

그러나 당신은 멈추지 않고 계속 달려간다. 맞은편에서

You keep on pedaling, not knowing any of this.

You drive by the spot under the bridge where you used to shelter from the rain. You pass by the wild geese you used to admire. You see them preening their feathers with their beaks at the end of necks curved into half circles. You see a red-crested white crane that has grown bigger since last summer. It has scarlet feet, invisible now, under the water. After pedaling some more, you see an old gray heron standing still in the middle of the water and staring into the distance. You used to be secretly moved that such a big bird existed so quietly and moved so slowly. You used to stop your bicycle and stare at it for a long time.

But you don't stop. You keep riding. You yield to bicycle racers wearing helmets, goggles, and face-masks covering their noses and mouths, rushing from the opposite direction. You can feel pain in your ankles. It's not clear whether it's coming from the sprain or the burn. You think you'll keep on riding anyway. You don't need to fear joy. You don't feel joy.

달려오는, 헬멧에 고글을 쓰고 마스크로 코와 입을 가린 자전거 레이서들을 피한다. 발목에 통증이 느껴진다. 삐었기 때문인지 화상 때문인지 분명하지 않다. 어쨌거나 더 달릴 것이라고 당신은 생각한다. 당신이 기쁨을 두려워한 것은 불필요한 일이었다. 당신은 기쁨을 느끼지 않는다.

*

몇 개의 흉터가 당신의 몸에 남아 있다.

아홉 살 때 동네 꼬마들과 그네에서 멀리 뛰어내리기 시합을 하다 생긴 무릎의 흉터. 삐걱거리는 의자에 올라가 쪽창을 달다가 의자의 나사가 빠지는 바람에 떨어져 생긴 정강이와 손등의 흉터. 중학생일 때 무작정 친구들을 초대해서는 끓는 기름에 만두를 넣다가 집게손가락까지 담그는 바람에 생긴 화상 자국.

그녀에게도 흉터가 있었다. 그녀가 눈을 가리는 술래가 되어 술래잡기를 했을 때였다. 당신이 먼저 걸려 넘어진 의자 다리에 그녀가 뒤따라 걸려 넘어졌다. 당신은 손끝

*

There are a few scars on your body:

A scar you got on your knee during a game you played with your neighborhood friends when you were nine years old, a game in which you tried to see who could jump farthest from the swing; scars on your shank and on the back of your hand that you got when the flimsy chair you were standing on to close a small side window lost a screw and collapsed; and a burn scar on your index finger from dipping it into boiling oil while cooking dumplings for friends you invited to your house with no particular plans when you were a middle school student.

She had a scar, too. She got it when you were both playing hide-and-seek. She was the blindfolded tagger. She tripped over the leg of a chair after you had tripped over it. You didn't get hurt at all, but she, the tall one, banged her forehead on the corner of a vanity. Father was extremely angry with you as if it had been your fault. The scar on her most beautiful and intelligent forehead looked ugly to you, too. After that accident, in order to hide the scars from the stitches, she always wore full bangs.

하나 다치지 않았는데, 키가 컸던 그녀는 화장대 모서리
에 이마를 찍혔다. 마치 당신의 잘못인 듯 아버지는 몹시
화를 냈다. 부드럽고 동그란 선을 그리며 살짝 튀어나온,
그럴 수 없이 곱고 영특한 그녀의 이마에 생긴 흉터는 당
신이 보기에도 흉한 것이었다. 여러 바늘 꿰맨 자국을 가
리기 위해 그녀는 그날 이후 언제나 앞머리를 풍성하게
내렸다. 그러나 바람이 불거나 할 때면 당신의 눈에만은
희끗한 자리가 보였다.

그녀가 그 봉합 수술을 받는 동안 어린 당신은 눈이 빨
개지도록 울었다. 아버지와 어머니가 모두 수술실에 함께
들어갔기 때문에 당신은 복도 의자에 혼자 앉아 있었고,
그래서 너욱 무서웠던 것이다. 마침내 수술실에서 걸어
나온 그녀는 울먹이는 당신을 위로하려고 했다. 커다란
멸균 가제와 반창고를 우스꽝스럽게 이마에 붙인 채 머뭇
머뭇 반복해 말했다. 괜찮아. 진짜 금방 낫는대. 시간만
지나면 낫는대. 누구나 다 낫는대.

*

당신은 모른다.

But whenever there was a breeze, you couldn't help noticing the whitish scar visible only to you.

You, a child, kept crying during the suturing until your eyes were completely red. Because your father and mother were both in the operating room, you were waiting alone in the corridor, which made you even more scared. She finally walked out of the room and tried to comfort you. With ridiculously big sterilized gauze and adhesive plasters on her forehead, she hesitantly repeated, "It's ok. They say this will get better soon. It's only a matter of time. Everyone gets better."

*

You don't know.

You don't know that you'll look into your tearful eyes in the mirror above the washbowl after a dream that you can't remember on a cold early morning when you wake up thirsty. You don't know that your hands will keep on trembling when you dash water onto your face. You don't know that those words you have never uttered will prickle your throat like a hot skewer. *I couldn't see ahead, either. I always couldn't see ahead. I just held my*

목이 말라서 눈을 뜬 차가운 새벽, 기억할 수 없는 꿈 때문에 흠뻑 젖은 눈두덩을 세면대 위의 거울 속으로 들여다보리라는 것을 모른다. 얼굴에 찬물을 끼얹는 당신의 손이 거푸 떨리리라는 것을 모른다. 한 번도 입 밖으로 뱉어 보지 않은 말들이 뜨거운 꼬챙이처럼 목구멍을 찌르리라는 것을 모른다. 나도 앞이 보이지 않아. 항상 앞이 보이지 않았어. 버텼을 뿐이야. 잠시라도 애쓰고 있지 않으면 불안하니까, 그저 애써서 버텼을 뿐이야.

*

먼 화요일 오후의 레이저 치료실에서, 간호사가 습윤 테이프를 뗀 순간 처음으로 선홍색 피가 홍건히 흘러내리리라는 것을 당신은 모른다. 처음으로 그 자리가 쓰라리게 느껴지리라는 것을 모른다. 그날 이후 놀랍도록 빠르게 진물이 줄어 가리라는 것을 모른다.

*

외출을 거의 하지 않아 무릎 관절염이 악화된 어머니를

ground. I just tried hard to hold my ground because not trying hard made me uneasy.

*

You don't know that on a Tuesday afternoon in the distant future when a nurse removes a wet tape from your ankles, scarlet red blood will flow down profusely. You don't know that you'll feel soreness in them for the first time. You don't know that surprisingly, the oozing from the sore will rapidly diminish.

*

You don't know that on a Sunday evening after visiting your mother you will draw the curtain so as not to see the snow slowly descending in the alley like wings spread wide. You will have sincerely persuaded your mother to get out more, as the arthritis in her knees had worsened because she almost never went out. You don't know about the night you'll face, squatting in the middle of a pitch-dark room. "How far? Very, very far!" You don't know that you'll try to sleep all night, curled up and wear-

활달하게 설득하고 돌아온 일요일 저녁, 날개를 편 것처럼 천천히 골목에 내리는 눈을 더 보지 않기 위해 당신이 커튼으로 창을 가리리라는 것을 모른다. 칠흑같이 어두워진 방 가운데 당신이 웅크리고 앉아 맞을 밤을 모른다. 어디만큼 왔나, 당당 멀었다. 눈을 감은 채 언니의 손을 잡고 외갓집에 가던 캄캄한 골목을, 그 목소리를 기억하지 않기 위해 밤새 헤드폰을 쓴 채 토막잠을 청하리라는 것을 모른다.

오래전 당신이 첫 월급을 타서 선물했던 스카프를 그녀가 포장도 뜯지 않은 채 말없이 돌려주었던 순간을, 당신이 끈덕지게 되돌려 기억하게 되리라는 것을 모른다. 당신이 그녀에게서 영원히 돌아서리라 결심했던 순간. 그녀의 표정 없는 눈 속에 무엇이 들어 있는지 결코 읽을 수 없었던 그 순간. 그때 당신은 어떻게 했어야 했을까. 당신 역시 무섭도록 차가운 사람이라는 사실을 놀라며 발견하는 대신 무엇을, 어떤 다른 방법을 찾아냈어야 했을까. 끈덕지고 뜨거운 그 질문들을 악물고 새벽까지 뒤척이리라는 것을 모른다.

ing headphones in order not to remember her voice in that dark alley you took on your way to your maternal grandparents' house with your eyes closed, holding your sister's hand.

You don't know you'll persist in recollecting the moment when she silently returned the scarf you gave her as a gift after you earned your first paycheck, without even opening the wrapping paper. You don't know that you'll toss and turn, struggling with those persistent and burning questions: What should you have done at that moment when you decided to turn away from her forever, when you couldn't read what was behind her expressionless eyes? What, what other path should you have taken so that you wouldn't be surprised to realize that you yourself were also a very frighteningly cold person?

*

Not knowing all those things, you're now lying at the edge of a field of reeds. Tumbled down on a rock near the brook, your bicycle is forcefully spinning blank wheels. The moment you were falling, you instinctively protected your head. It's clear that the skin on your hands and elbows was grazed.

*

　그 모든 것을 아직 알지 못한 채 지금 당신은 갈대밭 가장자리에 누워 있다. 자전거는 천변의 바위 위로 나동그라져 세차게 헛바퀴가 돌고 있다. 허공에서 떨어지는 순간 당신은 본능적으로 머리를 감싸 쥐었다. 손과 팔꿈치의 피부가 벗겨진 게 분명하다. 땅에 부딪친 어깨와 골반이 뻐근하게 아파 온다.

　이따위, 라고 중얼거리며 당신은 축축한 흙 위에 누워 있다. 회백색 구멍 속의 상처 따위는 이제 느껴지지 않는다. 흙이 들어간 오른쪽 눈이 쓰라리다. 이 모든 통각들이 너무 허약하다고, 당신은 수차례 두 눈을 깜박이며 생각한다. 지금 당신이 겪는 어떤 것으로부터도 회복되지 않게 해달라고, 차가운 흙이 더 차가워져 얼굴과 온몸이 딱딱하게 얼어붙게 해달라고, 제발 다시 이곳에서 몸을 일으키지 않게 해달라고, 당신은 누구를 향한 것도 아닌 기도를 입속으로 중얼거리고, 또 중얼거린다.

『노랑무늬 영원』, 문학과지성사, 2012

You feel dull pain in your shoulder and pelvis from hitting the ground.

You are lying on the wet soil, muttering "such a trifle." You can't feel the wound in the gray white holes any more. Your right eye hurts because dirt got into it. Blinking several times, you think all these perceptions of pain are too weak. You mutter a prayer over and over again to no specific god that you may not recover from whatever you're suffering now, that the cold soil may become even colder so that your face and body are frozen hard, and that you never get up again.

Translated by Jeon Seung-hee

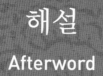

해설

Afterword

치유될 수 없는 인간 삶의 근원적 아픔

조연정(문학평론가)

한강의 소설에는 언제나 아픔을 간직한 사람들이 그려진다. 이때 그들로부터 강조되는 것은 아픔의 원인이나 그것의 치유 과정이 아니라 오로지 아픔이라는 상황 그 자체이다. 한강의 인물들은 특별한 불행을 경험했다는 이유로 고통의 상황에 노출되는 것은 아니다. 그들은 평범한 인간의 삶에 성공적으로 적응하지 못한 채 삶이 고통 그 자체라는 듯 가까스로 살아가고 있다. 우리의 일상적인 삶, 그 삶을 지탱하는 무수한 통념들, 더 나아가 인간이라는 조건 자체가 견딜 수 없는 폭력이라는 듯 한강의 인물들은 생생한 고통의 감각들을 호소하며 섬세한 강인함으로 이 삶을 가로지르고 있다. 힘없는 인간이 고통스러

The Incurable Fundamental Pains of Human Lives

Cho Yeon-jeong (literary critic)

Han Kang's stories depict people living in pain. Han emphasizes not the cause of the pain or the process of healing but the pain itself. Characters in Han's stories feel pain not because they have experienced a uniquely unhappy event. Unable to successfully adapt to their everyday lives, they barely manage to live. It is as if living itself is pain to them. As if to say that our daily lives, the numerable socially accepted ideas that support those lives, and, furthermore, the condition of being human itself constitute an unbearable violence, Han's characters complain about their vivid, painful sensations and navigate their lives with a refined fortitude.

운 삶의 조건으로부터 해방되는 유일한 방법은 아마도 주어진 조건을 긍정하는 일일 것이다. 그러나 인간이라는 조건과 온 힘을 다해 대치하고 있는 한강의 인물들에게 구원이라는 것은 애초에 가능하지 않다. 『채식주의자』의 영혜처럼 삶을 끝장내거나, 고통과 더불어 살아가거나, 한강의 인물들에게 주어진 선택지는 어쩌면 이 두 가지뿐이다. 나 자신이 고통으로부터 회복되는 것은 나를 둘러싼 이 세계 전체를 절대 회복 불가능한 상태 속에 방치하는 것이 되기 때문이다.

한강의 「회복하는 인간」은 발목에 입은 화상을 방치해 거의 회복 불능의 상태가 되어 병원을 찾아온 여자에 관한 이야기이다. 여자는 사랑하는 언니를 얼마 전 잃었고 장례를 치른 날 산을 내려오다가 발목을 삐었고 치료차 한의원에 갔다가 직접구라는 뜸에 화상을 입었다. 그리고 그 상처를 방치해 조직을 도려낼 지경에까지 이르렀다. 이 소설에 대해, 사랑하는 가족을 잃은 자의 상처 극복 과정을 다룬 소설이라 단순히 말할 수는 없을 것이다. 가족의 죽음은 누구에게나 회복될 수 없는 상처를 안겨주지만 언니에 대한 이 여자의 사랑은 특별한 것으로 그려진다. 언니는 특별한 외모를 갖고 있었고 특별한 남자와 결혼했

Probably the only way for frail human beings to free themselves from the painful conditions of their lives is to accept the conditions given to them. But to Han's characters, confronting and struggling with with all their might, redemption is impossible from the beginning. There are probably only two possibilities for Han's characters: either they end their lives like Yeong-hye in *Vegetarian* or they continue to live in pain. For a person to recover from pain means leaving the whole world surrounding her to an absolutely irrevocable condition.

Han Kang's "Convalescence" is a story about a woman who visits the hospital only when the burn on her ankles becomes almost incurable as a result of her neglect. She gets this burn from direct cauterization when she visits an herbal clinic to treat her ankle, which she sprained on her way down from the hill in the cemetery on the day her family buried her beloved elder sister. She neglects the burn and ends up possibly needing surgery. We cannot see this story simply as a story about the recovery of a person who has lost a beloved family member. Although everyone must suffer from the loss of a family member, the main character's love for her elder sister is rather special. Her sister was especial-

고 남부러울 것 없이 살 수도 있었다. 하지만 언니는 평범한 외모의 고집 센 동생에게, 그래서 별 볼 일 없이 살아가는 그녀에게 열등감을 가졌었다. 언니는 "마치 냄새가 싫은 음식을 꺼리듯 자신의 인생을 멀리하는 것처럼 보였다." 원하는 아이를 갖지 못해 점점 어두워져 갔고 결국 불치병에 걸려 죽어갔지만, 언니 삶의 불행은 단지 그러한 불운으로만 설명될 수 없는 것이다. 언니는 애초에 그녀에게 어울리는 행복한 상황들에 적응하지 못했다.

「회복하는 인간」이 유독 아픈 소설로 느껴지는 이유를 언니 삶의 불행과 남겨진 동생의 슬픔 때문이라고만 말한다면 충분하지 않다. 언니와 동생의 어떤 '관계' 때문이라고 말해야 할 것이다. 동생은 "온 힘을 다해" 언니를 사랑했고 언니는 그것을 알면서도 동생을 외면했다. 말도 섞으려 하지 않았고 눈도 마주치지 않았다. 동생은 포기했고 언니가 죽기 직전 몇 년간 둘 사이에는 왕래조차 없었다. 동생을 "당신"이라는 2인칭으로 명명하며 현재형의 문장들로 써내려가는 이 소설은 자매 간 납득할 수 없는 관계의 어긋남, 그리고 남겨진 동생의 형언할 수 없는 슬픔을 그린다. 사실 이 짧은 이야기만을 통해 우리는 자매 간 관계가 파탄난 이유나 이들 사이 미묘한 감정의 변화

ly beautiful, married a special man, and could have lived a happy life. But she had an inferiority complex about the main character, her younger sister, who looked ordinary, was stubborn, and leading a shabby life. The elder sister "seemed to keep her life at a distance as if shunning foul-smelling food." Although the main character's elder sister gradually became unhappier because she couldn't have the baby she desperately tried to have, eventually dying of an incurable disease, her unhappiness could not simply be explained away by those reasons alone. The elder sister could not adapt well to the happy conditions that seemed to suit her from the beginning.

"Convalescence" is a uniquely painful story not simply because of the unhappiness of the elder sister's life and the sadness of the remaining younger sister. More accurately, it is painful because of the "relationship" they had. The younger sister loved the elder sister "with all her heart," though the elder sister deliberately ignored this. She didn't want to talk with her younger sister, or even look her in the eye. The younger sister gave up and they didn't even communicate during the few years before the elder sister died. Written as a present-tense second-

를 상세히 알아챌 수가 없다. 이 소설은 두 여성에게 있었던 사실들을 군데군데 무심히 적어 놓으며 오로지 남겨진 동생의 아픔을 재현하는 데 힘쓴다. 이 소설 역시 아픔의 기원보다는 아픔의 상황 자체에, 관계 불능의 원인이나 해결보다는 어긋남 그 자체에 집중하는 것이다.

사실 '회복'이라는 말은 한강 소설과 가장 어울리지 않는 단어 중 하나일 것이다. 아픈 발목에 놓은 "직접구"라는 뜨거운 뜸이 발목의 고통을 잊게 해줄 대중요법이 되지 못하고 더 큰 상처를 만들어 놓았듯, 「회복하는 인간」은 무엇으로도 잊힐 수 없고 결코 치유될 수 없는 인간 삶의 근원적 아픔을 그린다. 그 아픔을 껴안고 가는 것만이 우리 삶을 회복시킬 수 있는 유일한 방법이라고도 작가는 말하는 듯하다.

person narrative, in which the younger sister is addressed as "you," this story depicts the unnaturally missed relationships between sisters and the indescribable sadness of the remaining younger sister. In fact, it is hard for us to decipher the concrete reasons why their relationship went awry, or the subtle changes in their feelings. Rather, this story focuses more on representing the pain younger sister feels through seemingly indifferent descriptions of past episodes of the sisters' relationship. This short story also pays more attention to the pain itself to its origin, and to the missed relationship rather than its cause or solution.

In fact, the word "convalescence" doesn't suit Han's story very well. Just as "direct cauterization" didn't cure the pain in the ankle, but caused a bigger wound, "Convalescence" depicts the incurable, fundamental pain inherent in human lives. The author seems to imply that the only way for us to recover our lives is to embrace this pain.

비평의 목소리

Critical Acclaim

무엇이 그를 좌절시키고 게워내게 하며 광기를 일으키게 하고 삶에 대한 피로 끝에 그것을 버리게끔까지 했을까. 이 가볍고 환한 세상에서 누가, 발랄해야 할 이십 대의 그를 사랑도, 화해도 거부하게, 아니 그것에 다다르기조차 포기하게 만들고 설움 많은 노파의 표정으로 삶의 우수에 젖도록 만들었을까. 이제 와서는 보기 힘든 그 암울한 세상과 가혹한 정서들이 하필 이 신선한 나이의 여자 작가에게 깊은 음영을 드리우며 그의 정신과 영혼을 그늘지게 하고 있을까. 그는, 풍성하고 활기찬 이 시대의 모습이란 한갓 겉모습만이라고 말하고 있는 것일까, 아니면 오직 그만이 겪고 혹은 상상하고 있는, 지금의 눈으로

What frustrated, nauseated, and maddened her so much that it made her throw away life, so tired of it? Who made her in her twenties, a time for a bright and vivacious life, reject love and reconciliation, no, give up trying to achieve them, wear an old woman's face, and indulge in the melancholy of life in this lighthearted and bright world? Why on earth do those cruel emotions and depressing world rare these days, throw dark shadows on this fresh, young woman writer and darken her mind and soul? Is she saying that the wealthy and lively appearance of our age is simply appearance? Or, is she trying to assert her unique identity by revealing

는 예외적이라고밖에 말할 수 없는 세계를 드러냄으로써 자신의 정체성을 보여주는 것일까. 그것도 아니라면 다시 혹은, 인정하기 두렵지만, 그가 그려내는 아픈 풍경들이 어느 시대, 어느 곳에서나 보편적인 모습으로 우리들 삶의 원형으로 똬리를 틀고 있는 근원적인 풍경인 것일까.

김병익

한강은 매우 개성적인 숨결로 이채로운 말결을 파동처럼 빚어내는 작가이다. 그 어떤 제재를 다루더라도 자신만의 고집스런 스타일과 상상력, 주제의식으로 오로지 한강만이 빚어낼 수 있는 그윽하고 깊은 파동을 독자들에게 선사한다. 그녀가 다루는 인물들은 대체로 세상의 온갖 허물들을 모아 앓는 자, 상처 깊은 자의 형상을 하고 있다. 상처의 심연으로 내려가서, 왜 현존재는 이토록 탈나지 않으면 안 되었던가, 왜 세상은 그토록 고통스럽지 않으면 안 되었던가, 탐문한다. (…) 해체적이거나 영상적이거나 키치 스타일이 범람하는 1990년대식 포스트모더니즘의 분위기 속에서 그녀의 고전적인 스타일은 역설적으로 낯설게 다가왔던 게 사실이다. 그렇다고 해서 그녀가 전적으로 구식 소설을 썼다고 말하려는 것은 결코 아니

a world that only she experiences or imagines, a world that can only be called exceptional? If not for all these reasons, then, although I'm afraid to acknowledge this, perhaps the painful scenes she depicts are fundamental, ingrained archetypes of our lives that are universal, and could be found anywhere and at any time.

Kim Byeong-ik

Han Kang creates idiosyncratic words, breathing life into them uniquely so they ripple outward. No matter what subject matter she deals with, she presents her readers with profound ripples only she can create with her own stubborn style, imagination, and subject. Her characters are those who suffer from all the ills of the world, those who are deeply hurt. Delving deeply into their wounds, Han asks and explores why existence has to be such an affliction, why the world has to be so painful... Her classical style of writing seemed ironically unusual during the postmodernist 1990s when deconstructionist, filmic, and kitschy styles were in vogue. I'm not saying that she wrote in an entirely old-fashioned style. Han tends to transform the mythos found in classical novels into an abnormal mentality

다. 고전적인 소설에서 찾아질 수 있는 신화소를 현대적 혹은 탈현대적 이상(異狀) 심리로 변형, 생성하려는 한강 나름의 특징적 경향은, 옛것으로부터의 새로운 탈주를 시도한 것으로 읽혔고, 그런 독법은 지금도 여전히 유효한 것처럼 보인다.

우찬제

한강 소설의 여성성, 채식성, 식물성, 예술성 등은 일상 속에서의 상식적 맥락과 이질적인 것은 아니지만, 그것들처럼 관념이나 이데올로기로 발전하지 않고 주체 내부에서 폐쇄적으로 작용하는 일종의 내적 태도 혹은 윤리라고 할 만한 것을 이룬다. 그들의 태도는 종종 현실의 규범에 대한 저항을 의미하는 것으로 해석되어 왔고 또 그렇게 해석될 여지도 있는데, 그럼에도 해석의 장에서 그들의 태도가 갖는 현실적 의미는 그들의 성격이 주변의 인물들에게 미친 효과에 더 가깝고 그 인물들이 직접적인 목표로 삼는 대상은 아니라고 할 수 있다.

이 감각, 혹은 이미지가 타자의 경험과 자기의 경험을 엮고 다른 관념을 불러온다. 이 감각, 이미지를 핵으로 하여 현실에서의 작가의 경험과 텍스트로부터 연유한 관념

with a modern or postmodern twist. People accepted her approach as a deviation from the old ways, an interpretation that still seems true of her stories.

U Chan-je

The femininity, vegetarianism, vegetative nature, and artistic quality in Han Kang's stories are not alien to our conventional daily lives, but they do not develop into set notions or ideologies like the usual elements of life, but instead form a sort of inner attitude or morality operating within the confined space of a subject. These attitudes have often been interpreted as acts of resistance to norms in reality, and this interpretation is not wide of the mark. Nevertheless, the practical implications of those attitudes are the effects they have on the characters around them, not their goals.

This sensation or image interweaves the experiences of others with those of the subject and calls forth another notion. Around the nucleus of this sensation or image, the author's experiences in reality and notions from her texts intermingle and form a universe. Han's style is unique and differs from that of other writers in that sensations and images rather than experiences and notions are at the cen-

들이 얽혀 허구의 우주를 형성한다. 경험과 관념보다 감각, 이미지가 중심에 놓여 경험과 관념을 엮고 이끈다는 점에서 경험이나 관념을 글쓰기의 기원으로 삼는 다른 글쓰기와 구분되는 한강 글쓰기의 고유한 발생적 맥락을 확인해 볼 수 있다.

손정수

ter and take the lead.

Son Jeong-su

한강

한강은 1970년 광주에서 태어났다. 열한 살이 되던 해 가족과 함께 서울로 올라와 수유리에서 자랐다. 수유리는 한강이 가장 오랜 시간을 보낸 동네로 『희랍어시간』을 비롯한 그녀의 소설에 애틋한 장소로 그려지기도 한다. 연세대학교 국어국문학과를 다녔다. 소설가 한강은 사실 소설이 아닌 시로 먼저 등단했다. 1993년《문학과 사회》겨울호에 「서울의 겨울」외 4편의 시를 발표하였고, 이듬해인 1994년 서울신문 신춘문예를 통해 「붉은 닻」이 당선되며 소설을 쓰기 시작했다. 이후 2년간 쓴 단편소설을 모아 첫 소설집 『여수의 사랑』을 1995년 문학과지성사에서 출간하였다. 1998년에는 문예진흥원의 후원을 받아 미국 아이오와대학에서 열리는 국제창작프로그램에 3개월간 참여하기도 했다. 이후 소설집 『내 여자의 열매』(2000), 장편소설 『검은 사슴』(1998) 『그대의 차가운 손』(2002) 『채식주의자』(2007) 『바람이 분다, 가라』(2010) 『희랍어 시간』(2011)을 출간했다. 한강의 소설에는 미술이나 음악에 특별한 관심을 보이는 인물들이 많이 등장하는데 이는 작가

Han Kang

Han Kang was born in Gwangju in 1970. Since the age of ten, she grew up in Suyuri, Seoul after her family moved there. Suyuri is where Han spent the longest time and features as a place of affectionate recollection in her stories including *Greek Class*. She studied Korean literature at Yonsei University. Han made her literary debut as a poet by publishing five poems, including "Winter in Seoul," in the winter issue of *Munhak-gwa-sahoe* (Literature and Society) in 1993. She began her career as a novelist the next year by winning the 1994 *Seoul Shinmun* Spring Literary Contest with "Red Anchor." She published her first short story collection entitled *Yeosu* (Munji Publishing Company) in 1995. She participated in the University of Iowa International Writing Program for three months in 1998 with support from the Arts Council Korea. Her publications include a short story collection, *Fruits of My Woman* (2000); novels such as *Black Deer* (1998), *Thy Cold Hand* (2002), *Vegetarian* (2007), *Breath Fighting* (2010), and *Greek Class* (2011). Her stories feature characters

자신의 관심을 반영한 것이기도 하다. 1999년에 중편 「아기부처」로 제25회 한국소설문학상을 수상했으며, 2000년에는 오늘의 젊은예술가상을, 2005년에는 「몽고반점」으로 이상문학상을, 2010년에 『바람이 분다, 가라』로 동리문학상을 수상했다. 중편 「아기부처」와 장편 『채식주의자』가 영화화되기도 했다. 현재 서울예술대학 문예창작학과에서 학생들에게 문학을 가르치며 소설 작업을 해나가고 있다.

with special interests in art or music, and this reflects her own interests. She won the 25th Korean Novel Award with her novella, "Baby Buddha" in 1999, the 2000 Today's Young Artist Award, the 2005 Yi Sang Literary Award with "Mongol Spot," and the 2010 Dongri Literary Award with *Breath Fighting*. "Baby Buddha" and *Vegetarian* have been made into films. Han currently teaches creative writing at the Seoul Institute of the Arts while writing stories and novels.

번역 **전승희** Translated by Jeon Seung-hee

전승희는 서울대학교와 하버드대학교에서 영문학과 비교문학으로 박사 학위를 받았으며, 현재 연세대학교에서 연구교수로 재직하며 아시아 문예 계간지 《ASIA》 편집위원으로 활동 중이다. 현대 한국문학 및 세계문학을 다룬 논문을 다수 발표했으며, 바흐친의 『장편소설과 민중언어』, 제인 오스틴의 『오만과 편견』 등을 공역했다. 1988년 한국여성연구소 창립과 《여성과 사회》 창간에 참여했고, 2002년부터 보스턴 지역 피학대 여성을 위한 단체인 [트랜지션하우스] 운영에 참여해왔다. 2006년 하버드대학교 한국학 연구소에서 [한국 현대사와 기억]을 주제로 한 워크숍을 주관했다.

Jeon Seung-hee is a member of the Editorial Board of *ASIA*, and a research professor at Yonsei University. She received A Ph.D. in English Literature from Seoul National University and a Ph.D. in Comparative Literature from Harvard University. She has presented and published numerous papers on modern Korean and world literature. She is also a co-translator of Mikhail Bakhtin's *Novel and the People's Culture* and Jane Austen's *Pride and Prejudice*. She is a founding member of the Korean Women's Studies Institute and of the biannual Women's Studies' journal *Women and Society* (1988), and she has been working at 'Transition House,' the first and oldest shelter for battered women in New England. She organized a workshop entitled "The Politics of Memory in Modern Korea" at the Korea Institute, Harvard University, in 2006.

감수 **K. E. 더핀** Edited by K. E. Duffin

시인, 화가, 판화가. 하버드 인문대학원 글쓰기 지도 강사를 역임하고, 현재 프리랜서 에디터, 글쓰기 컨설턴트로 활동하고 있다.

K. E. Duffin is a poet, painter and printmaker. She is currently workingas a freelance editor and writing consultant as well. She was a writingtutor for the Graduate School of Arts and Sciences, HarvardUniversity.

바이링궐 에디션 한국 대표 소설 024

회복하는 인간

2013년 6월 15일 초판 1쇄 발행
2024년 10월 31일 초판 7쇄 발행

지은이 한강 | **옮긴이** 전승희 | **감수** K. E. 더핀
펴낸이 김재범 | **기획위원** 전성태, 정은경, 이경재
펴낸곳 (주)아시아 | 출판등록 2006년 1월 27일 제406-2006-000004호
주소 경기도 파주시 회동길 445(서울 사무소: 서울특별시 동작구 서달로 161-1 3층)
홈페이지 www.bookasia.org
ISBN 978-89-94006-73-4(set) | 978-89-94006-82-6(04810)
값은 뒤표지에 있습니다.

Bi-lingual Edition Modern Korean Literature 024

Convalescence

Written by Han Kang | **Translated by** Jeon Seung-hee
Published by Asia Publishers | 445, Hoedong-gil, Paju-si, Gyeonggi-do, Korea
(Seoul Office: 161-1, Seodal-ro, Dongjak-gu, Seoul, Korea)
Homepage Address www.bookasia.org
First published in Korea by Asia Publishers 2013
ISBN 978-89-94006-73-4(set) | 978-89-94006-82-06(04810)

금기와 욕망 Taboo and Desire

바이링궐 에디션 한국 대표 소설 set 6

운명 Fate

미의 사제들 Aesthetic Priests

식민지의 벌거벗은 자들 The Naked in the Colony

바이링궐 에디션 한국 대표 소설 set 7

백치가 된 식민지 지식인 Colonial Intellectuals Turned "Idiots"